No eres más que una pequeña hormiga

Judit Morales / Adrià Gòdia

PREMIO LAZARILLO DE ILUSTRACIÓN, 1998

ediciones **sm** Joaquín Turina, 39 - 28044 Madrid

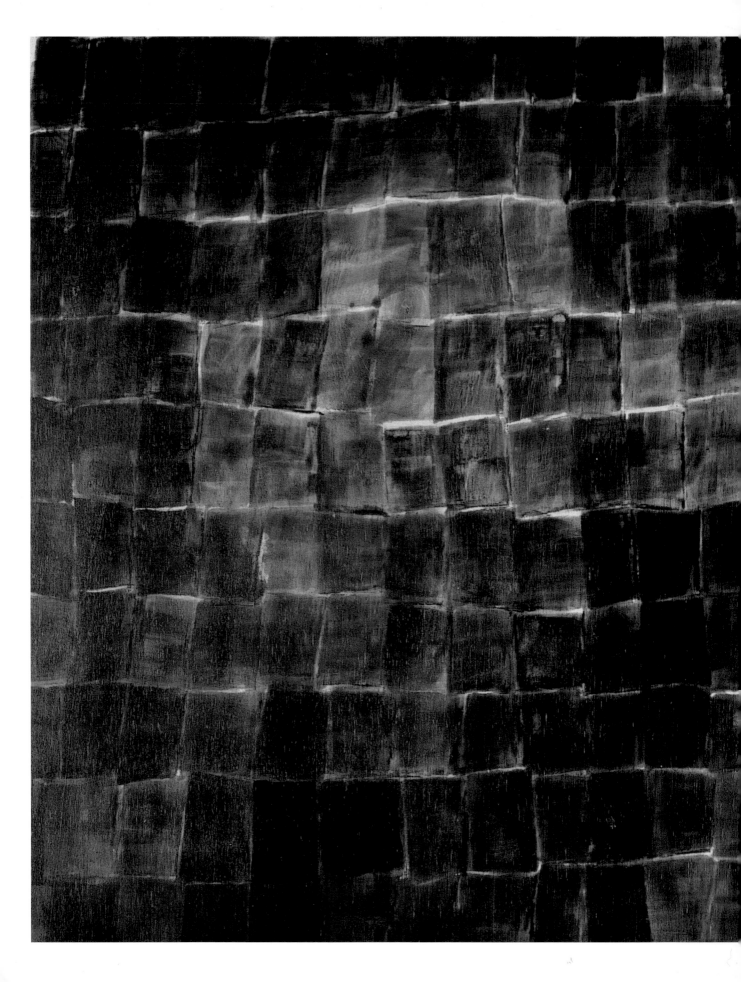

Todas las tardes, María trepaba
por las resbaladizas tejas de la iglesia.
Allí arriba esperaba con entusiasmo
la llegada de centenares de aves
que procedían del Norte
en busca de un aire más cálido.
Y es que, por esas fechas,
solían detenerse a descansar
en los alrededores de su casa.
De nuevo emprenderían el vuelo
al cabo de dos o tres días.
¡Qué bonito era ver los campos
cubiertos de plumajes de todos los colores!

—Han pasado ya muchos días y no he visto aún ningún ave,
ni siquiera aquellas que dibujan esas formas tan bonitas en el cielo.
¿Se habrán perdido? —le preguntó María al cerdito.
María sabía que algo les había sucedido y el cerdito se entristeció.
—Estoy decidida a ir a buscarlas —continuó—, y cuando las encuentre,
construiré un pájaro enorme y volaré hacia lo alto.
Entonces todas las aves me seguirán y las conduciré hasta casa.

—Ten cuidado —intervino entonces la vaca—. La naturaleza es tan
grande, que ante ella no eres más que una pequeña hormiga.
Lo mejor que puedes hacer es tener paciencia y esperar.

Pero aquella misma tarde, desde lo alto del tejado de la iglesia,
María lo veía todo tan pequeño que de repente se sintió grande, muy grande.
Tan grande como se debe de sentir a veces un director de orquesta
dirigiendo una sinfonía, o un capitán al timón de un gran barco.
Fue entonces cuando comprendió que era el momento
de emprender un largo viaje.
"¿Habrá alguien dispuesto a acompañarme?", pensó.

Por supuesto que hubo voluntarios, ¡y más de uno!
El tímido cerdito vio tan preocupada a María,
que organizó por su cuenta un pequeño regimiento de valientes.
Un joven pato, dos gallinas blancas y el gato Negro Carbón.
Todos dispuestos a encontrar y a ayudar a los pobres pájaros.
Pero ¿hacia dónde iban?
Ni María ni los demás sabían nada sobre aves.
—¿Por qué no vamos a la biblioteca? —sugirió el cerdito.

—Así que esto es una
biblioteca —dijo María.
Una tenue luz bañaba
los lomos de los libros
y dejaba entrever el polvo
que recubría toda la sala.
"¿Dónde estará el libro
que busco?", se preguntó.

María encontró un viejo libro sobre pájaros.
Era tan grande que necesitó de la ayuda de todos
para transportarlo hasta la mesa más cercana.

En el libro leyeron que las aves que buscaban venían del Norte.

Y sin dudarlo un momento, María y sus amigos se pusieron en camino.

—¡Hacia el Norte! —exclamaron las gallinas blancas.

El viaje iba a ser largo y María prefirió ir en bicicleta.

El cerdo, el pato y las gallinas corrían detrás de la niña.

Y Negro Carbón decidió echarse una siesta en la cesta.

Recorrieron un largo camino, rodeados siempre por enormes campos de trigo
que parecían no tener fin. De entre las espigas surgió entonces una gigantesca ciudad
con humeantes chimeneas. Todos quedaron impresionados.
La gran ciudad parecía un inmenso barco que avanzaba entre el mar de espigas.

¡Qué desconcierto! Miles de pájaros revoloteaban por las calles
sin saber adónde ir. María se puso muy triste al ver tal confusión.
Y es que las aves habían llegado hasta allí guiadas
por la intensa luz de la ciudad, pensando que seguían la luz del sol.

María no sabía qué hacer.

Pero ¿acaso había olvidado que no estaba sola?

—Construiremos el enorme pájaro que dijiste.
¿No te acuerdas, María? —dijo el cerdito.

—¡Ahora lo entiendo! —exclamó el pato—. María volará por el cielo
como un pájaro y las aves la seguirán.

—¡Manos a la obra! —decidieron las gallinas.
Recogieron todo tipo de materiales
y construyeron unas alas inmensas que pusieron a la bicicleta.

María no acababa de creer lo que sucedía.
Estaba sobrevolando la gran ciudad
entre humos y ruidos.
De repente,
notó un movimiento en la parte de atrás.
Cuál fue su sorpresa al descubrir
un polizón a bordo.
¡Negro Carbón dormía en la cesta!

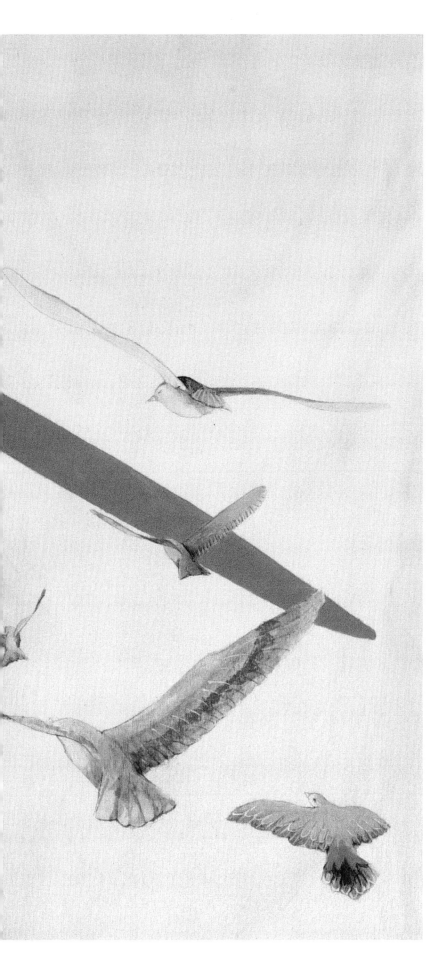

Y en un instante el cielo se llenó de aves.
Todas seguían a María, porque sabían
que la niña las estaba ayudando
a encontrar el camino.
¡Qué contenta estaba María!
Y a lo lejos empezó a divisarse
el campanario de la vieja iglesia.